JPIC Chi Baltsc
Baltscheit
Wo xuan wo zi ji : Dong wu men de
xuan ju /

34028072468938
FM ocn298501860
10/07/09

S0-ACS-069

登记
第3号

最佳人选！

羊毛出在
羊身上！

向空闲时间告别！

无国界的
国家！

禁止张
贴广告

羊毛出在
羊身上！

热爱
自己的
狐狸

这本书献给你！

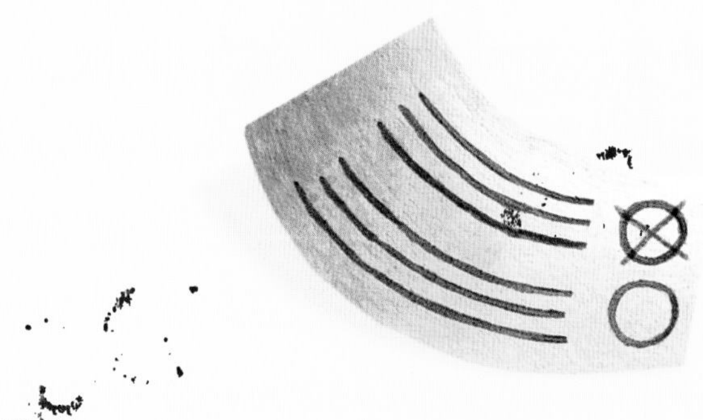

图书在版编目(CIP)数据

我选我自己—动物们的选举 / [德]马丁・巴尔切特文；[德]克里斯蒂娜・施瓦茨，马丁・巴尔切特图；裴莹译. —上海：上海人民美术出版社，2008
(海豚绘本花园系列)
ISBN 978-7-5322-5580-1

Ⅰ.我… Ⅱ.①马…②克…③马…④裴… Ⅲ.图画故事—德国—现代 Ⅳ.J516.85

中国版本图书馆CIP数据核字(2007)第205718号
著作权合同登记号：图字17-2008-002

我选我自己—动物们的选举

Ich bin für mich.Der Wahlkampf der Tiere

[德]马丁・巴尔切特 / 文 [德]克里斯蒂娜・施瓦茨，马丁・巴尔切特 / 图
裴 莹 / 译 责任编辑 / 周燕琼 安 宁
美术编辑 / 赵 青 装帧设计 / 黄 淳
出版发行 / 上海人民美术出版社 经销 / 全国新华书店
印刷 / 凸版印刷(深圳)有限公司
开本 / 889×1194 1/16 2.5印张
版次 / 2008年4月第1版第1次印刷
印数 / 1-5000册
书号 / ISBN 978-7-5322-5580-1
定价 / 29.00元

Copyright © 2005 Bajazzo Verlag, Zürich, Switzerland
All rights reserved
Simplified Chinese copyright © 2008 Dolphin Media Hubei Co., Ltd
该书德语版权由北京华德星际文化传媒有限公司代理。
中文简体字版权经瑞士Bajazzo出版社授予湖北海豚传媒有限责任公司，由上海人民美术出版社独家出版发行。
版权所有，侵权必究。

策划 / 湖北海豚传媒有限责任公司 网址 / www.dolphinmedia.cn 邮箱 / dolphinmedia@vip.163.com
海豚传媒常年法律顾问 / 湖北珞珈律师事务所 王清博士 电话 / 027-68754624

我选我自己

动物们的选举

[德]马丁·巴尔切特/文
[德]克里斯蒂娜·施瓦茨　马丁·巴尔切特/图
裴　莹/译

DISCARDS

上海人民美術出版社

动物王国每隔四年会选举一次国王。

狮子最喜欢选举了，因为大家总是把票投给他。

当他站在小山上问：“你们谁选我啊？”

所有的动物都会大声叫道：

“我们都选你！”

然后，大家便举起啤酒和香肠，尽情地狂欢。

不过，这一次的情况却有点不同啦。

“一场选举，如果不能有别的选择，那有什么意思呢？”

一只小灰鼠跑过来说，“你需要一个竞争对手，

要不然，选举就没有意义了嘛！”

狮子接受了这个提议，

决定推荐母狮子参加竞选，

并让人照他的样子画了一张宣传海报。

他对这张海报非常满意，

因为母狮子画得和他像极了。

可是，

小灰鼠也准备了一张宣传海报……

老鼠

我是最棒的

其他动物看到小灰鼠的海报了，
也都想来参加选举。
结果，每种动物都派出了一名候选者。
为了选出新的国王，
在竞选大会上，每个候选者都有一次演讲的机会。

小灰鼠作为啮齿类动物的候选者，
发表了慷慨激昂的演说：

“猫吃老鼠的时代一去不复返了！”他大声吼叫着。

所有的老鼠都鼓掌叫好。

“如果我是国王，我们将把猫统统吃光！”

紧接着，一只傲慢的猫上台了：

“如果我当了国王，老鼠将成为我们的主食。

早餐是老鼠，中餐是老鼠，晚餐还是老鼠；

把他们煮了吃，烤了吃，煎了吃。

选我吧！我保证你们永远都有新鲜的老鼠肉吃！”

蚂蚁笑眯眯地说：

“如果我是国王，我会给大家安排更多的工作机会，

每天干20个小时都干不完哦！”

说完，他四脚朝天，

还做了一个胜利的手势。

“羊毛出在羊身上！你的羊毛属于你自己！”

绵羊用尽全力声明说，

“如果我是国王，

我们只为自己织毛衣！”

鲤鱼也有一个好点子，他在水下咕噜咕噜地说：

“在干旱季节，动物们可以从水库里得到充足的水。”

可是没人能听懂他的话，大家还以为他在水里瞎吐泡泡呢！

鸵鸟的演讲内容和飞机场有关，
他喋喋不休地说了几个小时，说是要建造一座
拥有商店、停车场、四条跑道
和一套地铁线路的现代化大型飞机场。

不过，当有人问到由谁出钱时，
他却把脑袋埋进沙子里去了。

狼狗非常通情达理，

他主张所有的事情和所有的动物都要讲究秩序，

还建议大家都在脖子上拴根皮带。

公牛费迪宣布了一个好消息：

他会为动物们建造一个免费的乐园，

在那里有吃的，有穿的，还可以一起唱歌，

大家永远都要相亲相爱。

狐狸认为国家不应该有什么国界，

他主张取消国家，

不要国王。

他一边说着，一边朝鹅眨了眨眼睛。

只有鲸鱼对选举一点儿也不感兴趣，

他一声不吭地回家去了。

演讲结束后，投票开始了。

表决是以不记名的方式进行的，

因为谁都不想让别人知道

自己选了谁。

到了晚上，鼹鼠宣布了选举结果：

“狮子得了零票。其他候选者每位得到一票。另有一票弃权。”

就这样，狮子落选了！他是唯一没有选自己的动物。

他伤心地离开了会场，决定去寻找新的支持者。

狮子过去的臣民听到消息都很高兴。

因为大家都有了属于自己的国王。

新的国王们立刻开始兑现他们的诺言：

狐狸把鹅追得满世界跑，

猫想吃老鼠，

老鼠又反过来围攻猫，

绵羊在竭力保护着自己的羊毛，

公牛努力地维持着和平，

狼狗要往鲤鱼身上拴绳子，

鸵鸟又把头埋进了沙子，

却一下子撞到了鼹鼠，

因为鼹鼠总是在地下到处打洞洞。

两个星期过去了，动物们不再遵守任何法律，

大家想干什么就干什么，动物世界被闹得乱七八糟，

变成了一个既危险又可怕的国度。

狮子坐在一座高山上，

看着眼前的一切不停地摇头。

突然，那只小灰鼠跳到他面前，问道：

“我们现在该怎么办呢？”

狮子扭过头说：“我们？”

小灰鼠叹了口气：

“唉，实在太混乱了！尊敬的老国王，您快想想办法吧！”

狮子把小灰鼠抱到怀里，

慢悠悠地走下山，来到动物们面前。

老国王深深地吸了一口气，然后大吼一声：

“重新选举！”

动物们吓了一大跳，都惊讶地看着狮子。

这时候，他们个个都打得筋疲力尽，

根本就没兴趣当什么国王了。

这次选举只有一个候选者参加，

结果当然就非常简单啦！

Harris County Public Library
Houston, Texas